首里城シーサーと脳梗塞リハビリ

美ら島を妻と歩む

松下 武

ボーダーインク

首里城正殿

首里城正殿

首里城正殿

首里城正殿

首里城正殿

首里城正殿

首里城正殿

首里城・奉神門

首里城・奉神門

首里城・歓会門

首里城・漏刻門

首里城・歓会門の先（花まつり）

首里城・歓会門の先（花まつり）

首里城周辺・玉陵

首里城周辺・玉陵

首里城周辺・御茶屋御殿から移設

首里城・首里杜館

首里城・城内トイレ

首里城周辺・旧県立博物館（中城御殿跡）

首里城周辺・旧県立博物館（中城御殿跡）

首里城周辺・旧県立博物館（中城御殿跡）

首里城周辺・旧県立博物館（中城御殿跡）

首里城周辺・旧県立博物館（中城御殿跡）

首里城周辺・旧県立博物館（中城御殿跡）

首里城周辺・真和志町

首里城周辺・真和志町

首里城周辺・大中町

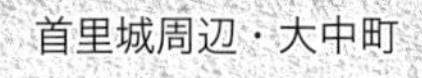

首里城周辺・大中町

首里城周辺・当蔵町

首里城周辺・当蔵町

首里城周辺・鳥堀町

首里城周辺・大中町

首里城周辺・金城町

首里城周辺・鳥堀町

首里城周辺・鳥堀町

首里城周辺・鳥堀町

首里城周辺・桃原町

首里城周辺・池端町

首里城周辺・石嶺町

首里城周辺・鳥堀町

首里城周辺・末吉町

首里城周辺・久場川町

首里城周辺・桃原町

首里城周辺・汀良町

はじめに

カーテンを開けた瞬間、燃え盛る炎と巨大な火柱に絶句しました。
鳥肌が立ち、身体の震えや冷や汗まで………。
２０１９年10／31（木）の午前４時前、
「首里城に火災発生！」の消防無線で跳び起きました。
我家から首里城正殿の一部を見ることができ
毎日、仰ぎ観ることが習慣になっていただけに
悪夢のような光景に大きな喪失感を味わいました……。

首里城は、先の第二次世界大戦末期、
「旧日本軍の第32軍司令部」が置かれていたため
１９４５年の沖縄地上戦で、跡形もなく焼失してしまいました。

その後、首里城正殿は、１９９２年11月に再建され
その年の７月に完成間近の首里城を訪れました。

翌年7月には、完成した正殿・ウナー（御庭）を見学。
いずれも名古屋勤務時代の夏休みでした。

時が経ち、2002年6月の2度目の沖縄移住以降
首里城有料区域の年間パスポートを購入し
「新春の宴」、「中秋の宴」、「冊封儀式」、「新たに再建されたエリアの見学」、「御嶽巡り」など各イベントに参加しました。
「首里城祭」では、士族の装いで、相方と共に行列に参加したことも印象深く残っています。
無論、友人・知人の案内や、シーサー取材でも訪れました。
ちなみに、表紙・背表紙をはじめ、巻頭のシーサー（43体）など、
本書の全てのシーサー写真は、首里城焼失前に撮り溜めておいたものです。

2度目の沖縄移住を果たした頃から、本格的なシーサー取材が始まり
今ではパソコンの中に約5000体のシーサーが鎮座しています。
首里城を中心とした首里周辺も、シーサー取材には欠かせないエリアです。

さて、還暦直前の２００９年４月
脳梗塞再発：脳幹部１ｃｍ球の梗塞、右半身マヒ、
そして３ヶ月の入院生活を送りました。
退院後、食生活を含めた生活全般の大幅な改善を図りながら
マヒの残る中、再発翌年の２０１０年からＰＣメールを再開。
お世話になった知人・友人に、リハビリの歩みを含めて
近況報告をしようと「しーぶん・こーなー」を立ち上げました。
「しーぶん」とは、沖縄の方言で、「おまけ」のこと。

脳梗塞再発以降は、「おまけの人生」と開き直り
当初は杖歩行のリハビリをしながら、
今では毎朝、隣接する公園でのリハビリが続いています。
寄り道・回り道で気付いたこと感じたことを
時折、ウィットでコーティングしながら、メモしています。

四半期に一度のペースで知人・友人に送付し始め
6年前に、川柳的エッセイ集『シーサーと脳梗塞　美ら島で妻と歩む』を上梓しました。
脳梗塞再発から10余年。
第二弾の本書は、「しーぶん200話」を記念し、加筆・修正したものです。
脳梗塞など、病でご苦労されている方を始め、お手に取っていただいた方々の
一服の清涼剤になることができれば嬉しいです。

著者

第三章　よ～んな～暮らしの日々

第四章　美ら島から視えるもの

第七章　美ら島色に染められて

第一章 脳梗塞のリハビリと後遺症

公園リハ　冬の風物詩

早朝の公園リハビリも、今年の5月で丸5年になります。

日曜日以外は、原則、毎朝1時間半！（雨の日は、屋内リハで）

その公園に、冬場が近づくと現れるバイクのおじさん。寒さ対策もバッチリ！

薄暗い内からカセットのボリュームを上げ、演歌に聴き入っています。

しかも、バイクに乗ったまま、ウォーキング・コースのすぐ側で……。

リハビリ・ウォーキングで近くを通るため、聴かざるを得ません。

最初のうちは、「早朝から演歌はないでしょ！　しかも、ド演歌は!!」と思っていました。

しかし、珠に来ない日があると
「どうかしたのかなぁ……風邪でもひいたのかなぁ……」と、心配したりして。

もともと『演歌好きだから、血が騒ぐのかも？？？』

２０１６年：しーぶん１２１話

公園リハ　受け身

5時前起床、室内でリハビリ体操の後、手造り酵素・蜂蜜を味わって、公園リハへ。

マンションを出ると、すぐに公園です。

10m程の芝生を歩き5cm位の段差を超えて、タイル状のコンクリをしばらく歩いた後、クッションのあるウォーキング・コースへ。


薄暗い霧雨の降る3月のある日、その段差に躓き、コンクリの上で思いっ切り転びました。咄嗟に、柔道の受け身を想い出したのか、
麻痺が残っている右手を内側に、一回転して立ち上がりました。

右ひざの微かな擦り傷のみの、奇跡的な軽傷！

高校時代の体育の授業で、柔道を学んだことが生かされた感じ！

待てよ、日頃から我家で身に着けた、『受け身の生活』が功を奏したのかなぁ⁉

２０１６年：しーぶん１３０話

公園リハ　サンサナー

サンサナーとは、ウチナーグチで「クマゼミ」のこと。
公園でも、梅雨が明けた途端、蝉の声が聞こえ始めます。
最初は、ニーニーゼミから始まり、夏至の頃からクマゼミも。
7月初旬ともなると、そのピークが来ます。
梅檀の木が好きらしく、ウォーキング・コースの中で梅檀の木が密集している所は
スピーカーが、4〜5台あるような大音響！　眠気も吹っ飛びます!!
そこを通る度、小学生の夏休みに、毎年、蝉採りをしていたことを想い出します。
鳴き声から、ニーニーゼミは、「ニーニー」、クマゼミは、「シャーシャー」
アブラゼミは「ガーガー」と、呼んでいました。特に、採り逃した時に
何度か『おしっこをかけられた記憶』が、鮮明に浮かんで来ます。
♪匂いやさしい、♪……♪　嗅覚は、衰えることを知りませんね。

2016年：しーぶん131話

公園リハ　出逢い

公園リハでは、いろんな方と出逢います。

気功・太極拳をしているウォーキング・コース内側の大原っぱ（芝生）。

毎朝のように裸足でジョギングしているスポーティな女性（アラフォー？）とも
挨拶を交わす仲に！

ある時、彼女と一緒にジョギングをしている、更に若い女性を見かけました。

3日目に、その女性から、「おはようございます！」と挨拶されました！

「ご一緒されていた方は、お姉さんですか？」と聞くと、「叔母です！　年齢は……」。

一瞬、何処かで見かけたことがあるなぁと思い、「何かやっていませんか？」と
尋ねると、「してませんよ。」　でも、どこかで見たことがあるなぁ……？

後日、10年ほど前に『朝ドラのヒロイン』をやった女優！　と判明。

公園リハでも、ラッキーなことが起こるんだ！

２０１６年：しーぶん１３９話

公園リハ　マラソン

沖縄では、トライアスロンはもちろん、マラソンも、
本島を含め、あちこちの島で開催されています。
中でも「那覇マラソン」は、人気も全国人気マラソン・ランキング5位！
昨年は、12／4（日）に開催されました。
大会には、海外を含め県内外から、26573名のジョガーが参加。

開催の2～3か月前から、公園でもジョガーを多く見かけました。
しかし、大会が終わるとジョガーの姿は極端に減りますね。

メ『リハ』リがあって、いいなぁ……。
それに引き替え、『リハ』ビリは、身体が動かなくなるまで……エンドレス？？？

2017年：しーぶん141話

公園リハ　休みたくなる時

日曜日以外の早朝は、ウォーキングや気功・太極拳中心の公園リハ。
たまに休みたくなることがあります。そんな時は、理由を付けています。

前夜、コンサートや組踊鑑賞などで遅くなった場合は、「夜勤明け」。
体調が今一の時は、「体調不良」。寝起きが悪い時は、「ズル休み」など。

ある時、新聞に「歩み」と言う字は、
「少し止まる」と書くと紹介されていました。
それ以降、休んだ日は後ろめたさを感じない
『歩みの日』としました。
休んでいるのに、ウォーキングしている感じ!?

２０１７年：しーぶん１５５話

公園リハ　靴底

毎朝、公園のウィーキング・コースを歩いているとコース内には、この時期枯れ葉や、何処からか飛んできたビニール袋などがあります。

多くの人が利用しているため、中には、靴底の一部もあります。

たま～に、靴底全体が落ちていることも……。

しばらくの間、コース脇に置かれていた靴底を見るたびに脳梗塞再発で、救急病院に入院した直後のことが浮かびました。

人生の『底を、そこそこ味わった』ことを想い出させてくれ感慨深いものがありました……!?

２０１８年：しーぶん１６５話

後遺症　傾き

脳梗塞再発後のある時、洗面台の鏡を見ていて
身体の傾きに気が付きました。

右半身に多少のマヒが残っているため
右側に傾いていました。

しばらく観察した後、今度は、舌も右に曲がっていることに気が付きました。
これも後遺症の一つだな、と、妙に納得せざるを得ませんでした。

このところの政権の有り様に、悉く、苛立っているにも拘わらず
『身体だけは、右傾化!?』

２０１７年：しーぶん１５０話

後遺症と加齢

脳梗塞再発からこの4月で、丸10年になります。
個人差があると思いますが、最初の5年間は、リハビリで改善傾向が見られました。
その後は、ほぼ横這いで、体調が悪かったりしてリハビリができない時は
一旦、下降へ向う感じがします。
リハビリによって現状維持ができているのは、もしかして
加齢による衰えを防いでいるのかもしれません。

『夢か現（うつつ）か、加齢か後遺症か？』

2019年：しーぶん183話

後遺症　右手と右足

右手に残るマヒ。

サイン会の時は2度とも、お名前・ひと言・サイン・日付、を記しました。

30回を超えた頃から、サインペンを持つ右手に、力が入り難くなりました。

歯磨きでも、右手を使ってしばらくすると、かなり腕・肩が疲れ
どうしても、左手が中心になります。

利き手以外を使うことは、脳の活性化にも良いらしい！と、言い聞かせています。

また、右足に残るマヒ。　体重の6割くらいを左足で支えているため
右足は、やや細くなりました。

また、前に倒れないように、右足の人差し指と中指の第一関節が盛り上がってきました。

『身体の順応性と、進化・退化の過程を観察しながら、感じ入っています……。』

２０１９年：しーぶん１８８話

後遺症　口内炎など

現役の頃に、珠にできた口内炎は、不規則な生活や
栄養のバランスが原因と思われます。
再発後の口内炎は、後遺症の影響で、
唇や舌やほほの内側を噛んだためにできることが多いですね。
現役時代は、プレゼンでよく噛みましたが……。

脳幹部１ｃｍ球の梗塞は、様々な後遺症を生み出してくれました。

感情のコントロールを始め、身体の調整機能も悪くなりました。

寒くないのに寒いと感じ、布団を掛けて汗をかき、パジャマを着替えることの多いこと。暑さ・

寒さに対しても、感度が鈍くなってきています。

『多感だった青春時代が、懐かしいなあ……。』

２０１９年：しーぶん１９２話

後遺症　退院後、嬉しかったこと

10年前、3か月間の入院の後、相方に見守られながら
杖を突いて自宅に帰りました。

ある日、日課のパワーリハから帰ると、60本の深紅の薔薇！
その日は、還暦の誕生日でした。

100万本のバラにも負けない迫力ある花束に
目頭が熱くなりました。

その少し前にデパートで、お地蔵さん2体が描かれた小振りの絵を購入。
添えられていた「一期一會　大切ないま　唯一無二　大切なあなた」に
心打たれていました。

現役時代の、「俺について来い!」から
今では、『どこまでも、ついて行きます!』へ、
見間違えるほどの変身ぶり……。

2019年:し一ぶん198話

後遺症　目標の70歳は？

右半身マヒと、目に見えない後遺症に悩まされていた10年前
掲げた目標の一つに、「今後のリハビリで、何とか70才に近づけよう！」がありました。
理由は、60才直前の脳梗塞で老化を先取りし、精神面・肉体面の機能の大半が
80才（あるいはそれ以上）に、低下していたからです。
70歳を過ぎた今、贔屓目に評価すると75歳位まで若返り
目標は未達ながらも、まだまだ若年寄といった感じ……⁉
日本人の健康寿命は、男性が72歳前後らしいので
健康寿命は、射程距離かもしれません。
目指すは後期高齢者入り、あわよくば、高めに設定した80歳ご臨終案！
果たして、『いつまで生かされるのかなぁ？？？』

２０１９年：しーぶん２００話

第二章　夫婦の会話と絆

松の内も終わらぬうちに

今年は、喪中でもあり、特にお正月の過ごし方は質素にしました。
おせちを食べながら、相方から
「お互い還暦も過ぎているので、ゆったりしたお正月が良いね！」
「特に、人混みは避けた方がいいよね！」

ところが、明けた1／4、相方は新聞のチラシを見ながら、
近場でも行ったことがない温泉情報を、目ざとく発見！
「静かにしていたから、温泉も良いね⁉」
（ついつい独り言：12月に別の温泉に行ったばかりだけど……）

挙句の果て、
「日帰りでは、湯冷めするかも知れないので、泊りがけが良いよね⁉」と、

巧みに、誘導！

我が家では、県内宿泊プランは、相方管理の家計費とは、別の財布から出費されます。
家計費に影響がないことを知っての、見え見えの誘導。

一周忌が終わるまでは、『質素にする』のじゃなかったの!?

２０１５年：しーぶん１０３話

作家

自費出版したエッセイ集。勉強代・自己投資と思って決断しました。
ただ、資金的な裏付けが必要で、
貯めた小遣いと、美ら島たけシーサー基金から捻出することに。

それでも足りないので、相方に20％の出資（機関投資家）をしてもらいました。
そのせいか、何か頼んでも、「聞かん投資家 !?」
その投資家に一部校正をお願いすると
「ああせい、こうせい!?」と、口うるさく……。

疲れがピークになっていた頃、「ひょっとしたら、今回の出版は、遺作になるかもしれない！」と言ったら、
「何言ってるの……いい作でしょ！」と、励ましの言葉がありました。

「本当！」と、嬉しがって聞き直してみると
「どうでも……」を、聞き逃していたみたい。
出版後、お手紙や電話、メールで多くの方からお祝いメッセージをいただき
何名かの方から「作家」呼ばわりされました。
週間ベストセラー1位も加わって、
すっかり作家と『サッカク』したまま、日々を送っています……。

2015年：しーぶん110話

マンションのガタ

新築で入居しましたが、13年も経つと、いろいろな所でガタが出始めてきます。

修理を伴うものや、取替えざるを得ないものまで……。

不具合で、真夜中にガス漏れの警報器が鳴ったり
網戸や壁紙・フローリングの一部が剥がれたり
直近では、システムキッチン備え付きのガスコンロで、突然、ガスが点かない!? など。
辛うじて電池の交換で免れましたが、ウォッシュレットは全面取替えする羽目に！

考えてみたら、自身もガタ・ガタ!?

相方が独り言のように、

『修理でなくて、ウォッシュレットのように、取替えができたらなあ……』

「ZO――――!」

2015年：しーぶん118話

誕生日

昨年の誕生日で66歳を迎えました。
前期高齢者2年目、しかもその日は敬老の日！
形だけの誕生祝をしてもらいました。
前日招待された「トーカチ祝い（88歳のお祝い）」に比べると
極めて控え目でしたが……。

お祝いの言葉の中で、エールのつもりなのか
「ヨーッ66歳!ろくじゅうろく歳!……ろクサイ!……クサイ!……。
クサイ!」を連呼する相方。
最初は、「年を重ねたネ!」と言う労いの言葉だと思っていたけど
後半のフレーズは、何だか、『露骨に遠ざけている』感じ……。

2016年：しーぶん122話

ホット・パンツ

早朝の公園リハ終了後は、上下とも着替えます。
ちょうどその頃から、風呂場で下着・靴下の下洗いをする相方。

パンツ以外は、洗濯機に放り込み
パンツは、相方に手渡します。

その時のセリフは、「新鮮・朝取り、もぎ立て!」や、「産地直送の温もりを!」
そして、『ホット・パンツ!』……。

相方の冷たい視線、無言……そして、親指と人差し指だけの動き……。
朝食前のいつもの、ひとコマでした。

2016年:しーぶん135話

特別な日

身体調整のため、毎週のように通っているマッサージ（40分）。
この日ばかりは、日頃の感謝を込めて、相方にも受けてもらいました。
実は、この日は38回目の結婚記念日。
マッサージの後は、ちょっと気取って寿司バーのカウンター席で夕食（予約済み）。
当日は土曜日だったので、先ずは、いつものように一週間のお疲れ直しを兼ね、
古酒（クース）で乾杯！
付足しや野菜の煮物など3品程を摘まんでいるうちに
相方の目は、五大湖の畔：トロントしだしました。
握りを注文する頃には、欠伸まで連発してくる始末。
マッサージの後とは言え、出会った頃の『適度な緊張感』は、何処へ!?
そういう自分も、クースで、リラックースしたのか、まどろみ始めました……。

２０１６年：しーぶん１３８話

スーパームーン

昨年の秋（11／14）、ここ沖縄では、
天体ショー「スーパームーン」を楽しむことができました。
国立天文台によると、１９４８年以来68年ぶりの大きさらしいですね。

昨年最も小さく見えた満月に比べて直径は１・14倍、面積は3割ほど大きくなったようです。確かに、大きくて明かるかったです！

当日はスーパーでしたが、前後の日にも名前を付けて挙げようと、我家で談義。
相方は、スーパー・マーケットからヒントを得たのか
「デパート・ムーン」
「コンビニ・ムーン」。

負け時と、ヒーローのスーパーマンからヒントを得て
「ウルトラ・ムーン」

「ライダー・ムーン」

そうそう、「月光ムーン」も?……何だか、ダブっている!

次は2034年、17年後とか………。

『眺められるかなぁ!?』

2017年:しーぶん142話

フリーマーケット

我が長屋の真向かいは、県立博物館・美術館。

その間に、ウォーキング・コースの公園へと続く公園があります。

その公園で毎月第1、第3日曜日のＡＭに開かれるのが、フリーマーケット。

50〜70店舗が集まり、定番の衣類や食器、雑貨類と共に、新鮮野菜コーナーもあります。

7Ｆにある我家の目の前のため、甲高い子供の「いらっしゃいませ！」に刺激され
時々、相方も野菜を求めて出掛けます。

「これこれこれが、安かったあ！」と、『ショウワ30年代の少女』が帰ってきたので
「ありがとう！」と言ったら、ヘイセイと……『レイワ、いりませんよ！』
だって！

２０１９年：しーぶん１８６話

第三章　よ〜んな〜暮らしの日々

〈注〉よ〜んな〜：のんびり、ゆっくりとした

おせち

結婚以来、お正月のおせちは、やはり二人が生まれ育った静岡風。
相方は、毎年、暮れの3～4日は、おせちの準備で多忙です。

愚生が体調を崩した5～6年前から
ある通販のおせちの評判を聞きつけ取り始めました。

ところが、4年前に食生活を大幅に改善してから
年々、味が濃く感じるようになり
昨年末、相方は大半のおせちを、
大晦日一日で手造りする！　ことにチャレンジ。

祝い肴（黒豆・数の子・田作り）を始め、

昆布巻き・煮しめ・伊達巻き・炒めなます、
栗きんとん・海老香味煮・大根ロール巻・ミックスピクルス、など。
(数の子・紅白蒲鉾・カツオ角煮のみ、購入か戴き物)

手前味噌ですが
これが何と、「割烹の味！」、「料亭の味！」。
『割烹着姿』で、活力鍋と共に、
『りょうてぃ (両手)』を起用に使っていたから⁉

2015年：しーぶん101話

お雛様

新婚時代も、ここ沖縄で過ごしました。
知合いが一人もいない相方は、マンション向かいの人形教室に通いました。
琉球人形を始め、木目込み人形も作り始め、その一つに内裏雛があります。

この内裏雛、毎年、ひな祭りの一ヵ月ほど前から、お目見えします。
40年近く経つと、女雛の顔にもシミが……。

手鏡をかざしながら、「あら、いい勝負ね!」と
『女雛と争っている相方』を、垣間見たとか、見なかったとか……?

2016年:しーぶん126話

個室

2月中旬、与那原町のある教会で開催された
「新春文化コンサート」へ行って来ました。
室内楽（バイオリン、ビオラ、チェロ）や、合唱のコンサートも良かったですが
隣接している修道院の見学に、こころを打たれました。
シスターの個室や図書室、食事室、洗面所……などなど。
極めて質素な暮らしぶりが伺えました。
個室に至っては、ベッドと机・椅子以外は何もなし。
夜のコンサートを終えて帰宅し、気持ちの良い眠りに着きました。
翌朝、目が覚めて辺りを見回すと、シスターの個室との落差に驚愕！
これって、『ゴミ屋敷？？？』

２０１６年：しーぶん１２７話

ジカ熱

毎年、インフルエンザの予防接種を受けているお蔭で
これまでインフルエンザに罹ったことはありません。
それでも、2年に一度位は、風邪の症状が出ることがあります。
3月初め、久しぶりにその症状。

微熱もあったため、大事を取って3日ほど公園リハは、お休み。
この微熱、地球の裏側で発生した「ジカ熱」とは症状が異なるため
『テイカ熱』と名付けました。

『時価より定価が安心』ですよね！
お寿司屋さんでも……。

2016年：しーぶん128話

モデル

ファッションや雑貨に拘りのある浮島通り。
時たま覗くお店で、
シーサーの写真がちりばめられている、かりゆしウェアに目が留まり
試着してみました。

数量限定のため、やや高目でしたが思い切って購入。
店員から「宜しければ、写真を撮って送っていただけますか？」
「ひょっとして!?」と思い、翌日、我家の特設スタジオ？ で撮影開始。
ある方に戴いたシーグレープと共に
若干ポーズを取った写真をメールで送りました。

早速、返信メールで、「モデル写真として、店頭に飾らせて頂きました！」

まさか、モデルになるとは！

ポスター・サイズの写真をイメージして後日、お店にお邪魔したらモデル写真は何と、『ハガキ大』でした……。

２０１６年：しーぶん１３２話

回転ずし

10数年ぶりに、回転ずしへ行きました。

新聞のチラシの写真と、「アーサー味噌汁無料！」で決意。

しばらく待たされた後、カウンター席に座ると目の前にお寿司が回転。

10数年前と同じ！　でした。

ところが、注文の仕方や呼出はリモコン操作のため、アタフタし始めました。

やっと注文できると、注文した品が近づくと目の前の画面でお知らせ……。

2～3回、見落としました。

両サイドのお客さんはサッサと食べて、何度も入れ替わり。

店内の「何番さん、お待たせしました！」のマイクの喧騒や子供達の大声が手伝って……

店を出る頃には
『頭が回転』していました。

２０１７年：しーぶん１４３話

パジャマ

寝間着は、夏は半袖Tシャツ、冬は長袖Tシャツ。
春・秋はパジャマを着用しています。

身長が縮んできたのと、着古しているためか、
全体的に伸び切ってしまっても、愛用しているパジャマ。

袖口は、指を伸ばしても出ないし、裾は10ｃｍ位引き摺っています。
眠るには何の支障もありませんが、歩き出すと正に「長裃（ながかみしも）」風。

我家では、
『吉良殿のおなり～～！』と、呼ばれています。

２０１７年：しーぶん１４４話

最長不倒

2年ぶりに1月中旬、喉がいがらっぽく、風邪の症状が……。
その日の夜から、セキが出始めました。
熱はないため、インフルエンザではなさそう。
これまで風邪でしたら通常、2～3日寝ていれば治りました。
ところが、1週間経ってもセキが続き、止む無く主治医を訪ねました。
5日分の処方をしてもらいましたが、3週間経ってもセキが止まらず……。
2度目の主治医訪問では、7日分の処方してもらい、完治までに、6週間！
風邪としては、最長不倒!?　もっと言えば、『前代未聞!?』

2017年：しーぶん146話

椅子

20年ほど前、神奈川に住んでいた頃、相方が引っ越しのお手伝いに出掛けました。

サークルの先輩が、ご主人の定年退職で関西に戻られるとか。

その時、「家具は全て新調する」からと、使いこなされ、捨てられる運命にあった
食卓セットをいただくことに。

飛騨の高山製ですが、ここへきて、椅子の背もたれの接続部分が劣化してきました。

早速、修理も行っている家具メーカーに見積依頼。

若い職人さんが、「ちなみに、何年ぐらいお使いですか?」

「20年は超えていると思いますよ!」

「こんなに大切に扱ってくれたら、椅子も喜んでいると思いますよ!」

我家に来て20年、『その前の30年余』は、言えませんでした……。

2017年:しーぶん148話

切り絵アート展

日本を代表する切り絵作家11人の作品が、沖縄に初上陸！
浦添市立美術館で開催され、前評判を聞いて足を運びました（4／14）。
息を呑む繊細美で、正に、究極の〝紙ワザ〟！
作家によって作り方や手法に違いがあることを、分かり易く説明されていました。
モノトーンが基調の作品や、和紙を巧みに使ったカミがかった作品群。
カミのお告げなのか、どうしてそこまでできるの？……カミのみぞ知る！
やたらと『カミ頼み』が多い我家とは、天と地の差!!?
それとも、紙一重？

２０１７年：しーぶん１４９話

同窓会

高校卒業50周年記念同窓会があり、この夏、二度目の帰省をしました。
「銅メダル」が授与されるという誘惑に惹かれ
夏休み期間中の高めの航空券にも拘わらず、手配しました。

確かに、78歳の時の「銀メダル」は
2度の脳梗塞経験者としては、ハードルが高いですね。
当日（8／20）の学年同窓会では、遠隔地から参加したということで
急遽、スピーチを求められました。

「……今回は、同窓会メンバーとの生前葬のつもりで参加しました！
（……一瞬の沈黙を経て……）生前葬の「そう」は、同窓会の『窓』ですが……」

2017年：しーぶん159話

台風5号

7／21に発生し8／9まで影響を及ぼした台風5号。
これほどまでに行き当たりばったりで、迷走し続けた台風は珍しく
長寿台風とも呼ばれました。

もともと台風は、自分では動けないようですね。
高気圧の力を借りたり、偏西風の力を借りたりして動くようです。
日々の生活の中で動きにくかったり、物が取りにくかったりする時がある愚生。
相方の「高圧的な力」を借りたり、「風向きの良い時」にお願いしたりしています。

こちらも、行き当たりばったりの、『迷走耐夫（たいふう）!?』

２０１７年：しーぶん１６０話

運転免許証返納

1月、不便を覚悟し、思い切って運転免許証を返納しました。
理由は、昨今、高齢者ドライバーの事故が相次いでいるため
率先垂範の意味合いも込めて！

学生時代に免許を取り、無事故・無違反で、45年！
優良ドライバーにも、認定されました⁉

実体は、45年間一度も運転したことがなく
「そのうち、乗るかもしれない！」と、更新を繰返していただけ……。

65歳以上で返納した場合、那覇市では、バス運賃・モノレール運賃が半額！
タクシー代は10％引きなど、多くの特典があります。

返納の最大の理由は、遅まきながら、それらの特典に
『目が眩んだ』ため……。

２０１８年：しーぶん１６２話

丑さんシリーズ

昨年終盤は、短編映画を中心に監督業に精を出しました。
丑年生まれの監督に因んで生まれた、「丑さんシリーズ25作目」も完成。
山田洋次監督の、「寅さんシリーズ48作」を意識していないと言えば
嘘になりますが……。
お陰様でこのところ、興行実績もまずまずとか。
ちなみに、1月は3組を個別にお招きし、特別試写会を行いました。
「巨星：山田監督」に、無謀にも挑戦する、『虚勢：松下監得』。
得することばかり考えて、相変わらず、徳がないねぇ……。

2018年：しーぶん164話

防災イベント

年に1〜2度、隣接する公園で防災イベントが行われます。
今回も、相方が張り切って午前の部に参加しました。
防火訓練や炊出しの様子を見学したり、防災グッツを見たり。
その後、5年間保存できる水（500ml のペットボトル）や
乾パンが支給されたようです。

そろそろお昼の時間だけど………と思っていたところ
相方は、炊出しのカレーをテイクアウトと勘違いし、我家に持ち込み
その日の昼食になりました！

『待てばカレーの日和あり!?』

2018年：しーぶん180話

十一人会

十一人会とは、高校時代の合唱部同期生（男性：7名、女性：4名）の、
年に一度の集まり。
2度目の沖縄移住時に、沖縄での開催を提案しました。

ところが、還暦直前で、こちらが脳梗塞を再発してしまい
数年後には、メンバーの一人が他界したため、のびのびに……。

苦節15年、昨年11月に、メンバー全員（静岡・東京）が
沖縄に集結することになりました。
早速計画作りを始め、先ず、空港でお出迎えし、拙宅にて、ウェルカム・ドリンクで
沖縄開催セレモニーをすることに。

初日の夕食会場は、何度か行ったことのある琉球料理店。
2日目は、入念な下見・試食をして、アグーのしゃぶしゃぶ店に決めました。

ただ、困ったことに、
拙宅での沖縄開催セレモニーにあたり家中探しても、椅子が足りません。
そこで、長屋の管理人に、集会室のパイプ椅子2脚を借用。
今季管理組合の理事でもある相方の、『管理人とのパイプ』のお陰でした！

2019年：しーぶん182話

監督のこだわり

丑さんシリーズの27作目は、「2度目の中国」。
撮ってきた写真に加え、ツアーに一緒に参加した友人からも鮮明な写真を
借用しました。

ムービーメーカーでは、
先ず、タイトルを決め思い描いたストーリーから写真を選択。
要所要所にキャプション（説明文）を加え、
全体像が見えてきたところで音楽を選びます。

今回は、上海・蘇州・無錫ツアーのため、二胡の曲を中心とし
クライマックスの上海の夜景と、上海センター（118階）からの映像には、
第九の第四楽章終盤を採用。

そして、この作品に欠かせないのが、何と言っても、「無錫旅情」！

♪上海　蘇州と　汽車に乗り　太湖のほとり　無錫の街へ……♪

一番のみの曲を採用するため、アマゾンからCDをお取り寄せ。

自称監督は、『身銭を切っても、実入りのない稼業……』と

悟り始めている感じ……。

2019年：しーぶん185話

I先生

合唱指揮者のI先生とは、四半世紀前の名古屋勤務時代に出会いました。
素人集団を毎年、夏の「レクイエム・シリーズ」と、暮れの「第九」で
フルオーケストラと共に、舞台に立たせてくれました。

その後、「クラシック」以外に
「ゴスペル」、シルバー中心の「銀の鈴」とエネルギッシュに拡げ
ピーク時には、2500名の合唱団員を抱えました。

こちらが沖縄に移住して間もない頃
彼は、「沖縄 銀の鈴合唱団」を立ち上げ再び、お付合いが密に！
その後、彼は2度目の心筋梗塞を発症させ
こちらも、脳梗塞を再発してしまいました。

再会する都度、「3度目は、さよならする時だね！」と、語り合っていました。
「合唱仲間は沢山いるけど、Ｍａさんの葬儀だけは、必ず行くよ！」と、
言うのが彼の口癖でした。

その彼が、本年1月、コンサートのリハーサル中に指揮台で倒れ
心筋梗塞再々発で旅立ちました。
最後に電話をくれたのが、昨年の10月でした。
享年65歳。

『旅先での再会を祈願して、ガッショウ……』

２０１９年：しーぶん１８９話

お気遣い

今年も、身体の軽めのトラブルはありましたが
身の回りのモノが、トラブルや入替えで大変でした。

3月に、17年間癒しを与えてくれたステレオ
6月には、13年間情報提供してくれたテレビが壊れました。

9月には、9年間作家・写真家・監督業に、お付合いをしてくれたパソコンまで。
その合間に、洗濯機、浄水器などもトラブりましたが、修理で凌ぐことができました。

物入りでしたが、どれも、気を遣ってくれました。
10月1日の、『消費税10％前のトラブルで！』

２０１９年：しーぶん１９７話

古稀のお祝い

7月のある日、姪っ子から古稀のお祝いの招待状が届きました。
しかも場所は、東京・白金台の「八芳園白鳳館」だって！
何故、誕生日が分かったのかなぁ……。

18年ぶりの東京に面食らいながらも、当日（9月某日）、相方と共に会場へ。
礼服に蝶ネクタイ、スピーチも考えながら高揚感に浸っていました。

会場に入ると、知らない方同士が、「おめでとうございます！」
そこまで知れ渡っているのかぁ……。
末席も気になっていましたが、これも演出かと思っていました。

式が始まり、何故か雛壇に着飾った姪っ子と男性が登場……？？？

しばらくして、「これは結婚式だ!!」と、悟りました。
そう言えば相方も、何故か、アオザイ（ベトナムの正装）で、着飾っていました。
『古稀吹かばにほひおこせよ……』
相方に、コキ下ろされながら、東風に乗って沖縄に戻りました。

2019年：しーぶん199話

第四章　美ら島から視えるもの

辺野古新基地①

我家の頭上にも、オスプレイが日常的に飛んでいます。
時には、夜10時以降も……。

歴史教科書検定撤回、普天間基地県内移設反対、オスプレイ配備反対、
そして、辺野古新基地建設反対……。
これまで、10万人前後の県民大会が、何度も開催され参加してきましたが
悉く、沖縄県民の民意は無視され続けています。

あろうことか、圧倒的民意で選ばれた現知事が、法廷で訴えられている現状。
まるで、沖縄県民が訴えられているような、『居たたまれない気持』を
抱いています……。

2016年：しーぶん124話

辺野古新基地②

1／8（金）、1／29（金）の両日、福岡高裁那覇支部で行われた代執行訴訟や
口頭弁論の直前、知事を始め、県職員・弁護団を激励する集会に参加しました。
冷たい雨の中、多くの人達と共に……。

国民の約80％以上が日米安保賛成の現状と
国土の0・6％しかない沖縄に、
73・8％もの米軍基地を、
負担させている現状。
沖縄以外は、まさに、いいとこ取り!?　ではないでしょうか。
尚且つ、県民143万人の80％近くが反対している辺野古新基地建設を
なりふり構わず、ゴリ押ししようとしている現政権。

心ある本土の方々には、辺野古新基地に関して
「見ざる、聞かざる、言わざる！」を
決め込まないで欲しい、と思っています。
「現状を見て、真実を聞いて、声を大にして言って……できれば、行動して欲しい！」と
『申年を迎え』、心底、願っています。

2016年：しーぶん125話

筋（すじ）

「♪何から何まで　真っ暗闇よ
　筋の通らぬことばかり
　右を向いても　左を見ても
　馬鹿と阿呆のからみあい…………………♪」
何だか、今の政治の世界そのもの……のような感じがしますね。
やっぱり、古い人間でござんしょうかね。
それでも、「選挙」と「島ぐるみ会議・辺野古新基地建設反対の集会」には
『筋を通すため』にも、行くぞぉ！

2016年：しーぶん129話

6・19県民大会

『怒りは限界を超えた！』
14時開始の県民大会、灼熱の炎天下のもと
老若男女６５０００名が結集！
36～37度の過酷な状況が2時間以上予想される中、
万全の態勢を取って
相方と、参加しました！

今回の県民大会は、元海兵隊員による強姦殺人事件で亡くなられた被害者（20歳）の
追悼がメインであったため、古謝美佐子の「童神」で、静かにスタートしました。
その直後、全員で黙祷。

登壇者は、被害者と同世代の若者が中心。

そのうちの一人が、象徴的な発言をしてくれました。
「A首相、本土にお住いの皆さん、
今回の事件の第二の加害者は誰ですか。
あなたたちです！」

大会決議は、「海兵隊の撤退と普天間飛行場の閉鎖・撤去／日米地位協定抜本的改定！等」
海勢頭豊の「月桃」を全員で歌い上げ、拳を上げることなく静かに閉会しました。
熱中症で運ばれた方も、多数……。

4日後の6月23日………慰霊の日（沖縄全戦没者追悼式）を迎えました。

２０１６年：しーぶん１３３話

8・12県民大会

「翁長知事を支え、辺野古に新基地を造らせない県民大会」に参加しました。
沖縄を飛び回っているオスプレイが
昨年12月の名護市に続いて、
今月5日に、オーストラリアで墜落した直後でした。

灼熱の太陽の下に、45000人が会場の陸上競技場に結集。
2時間弱の大会は厳しく、倒れる人もいて、正に命がけでした！

当日は夏休みで、しかも、3連休の中日。
親子そろって行楽地に出掛ける絶好の機会にも拘わらず、
若い親子連れも目立ちました。
「沖縄の民意を圧殺し続けている政府」に対して

毅然と立ち向かう意志が感じられました。

知事を始め、オール沖縄会議の共同代表の名護市長のスピーチの後
女子大学生のスピーチ。
「人間として……（一瞬、言葉が詰った後）、人間として、生きる権利を主張しましょう！」

昨年6月、元海兵隊員による強姦殺人事件を抗議する県民大会で
「A首相、本土にお住いの皆さん、今回の事件の第二の加害者は誰ですか。
あなたたちです！」と主張した彼女と同一人物でした。

正に、『県民の力強い代弁者』の、お一人！

2017年：しーぶん158話

8・11県民大会①

「土砂投入を許さない！ジュゴン・サンゴを守り、辺野古新基地建設断念を求める8・11県民大会」に参加しました。
翁長知事ご逝去の直後でもあり、壇上の椅子の上には出席予定だった知事の帽子が、大会を見守っていました。

台風14号の強風域の中、70000人が会場の陸上競技場に結集。
県民の5％、東京都で換算すれば、60万人が悪天候の中、結集したことになります。

遠くは、国頭村、伊江島から駆け付け、
車椅子のひと、杖を突いたひと、
73年前の沖縄戦経験者……。
若い親子連れも目立ちました。

当日、全国の主要20都市でも、県民大会に呼応して集会が開かれたようです。

時折叩きつけるような雨は

志半ばだった亡き知事の『無念の涙、憤りの涙、怒りの涙』のようでした。

その間、70000万人の参加者は、微動だにせず、耐えていました……。（つづく）

２０１８年：しーぶん１７７話

8・11県民大会②

那覇市議会議員である知事のご子息から
「辺野古新基地建設は、止められた！　と、父に報告できるように頑張りたい！」との
演説に、万雷の拍手が起こりました。
知事の遺志を継いで、「沖縄の民意を圧殺し続けているA政権」へ毅然と立ち向かう
意志が感じられました。
これまでの県民大会同様、全員手弁当で参加し
大半の人が会場内でカンパをしていました。
豪雨の中、1時間10分で大会は終了し、会場の外に出るまで、20分程かかりました。
大会終了直後、知事のご遺体は出棺され荼毘に付されました……。

2018年：しーぶん178話

沖縄の県知事選

9／30の知事選、なりふり構わぬA政権は選挙運動と言うより、暴挙の繰り返し。
しかしながら、翁長知事の遺志を継いだ、玉城デニーさんが、大差で勝利しました。
何度も何度も、明確に示された『沖縄の民意』。
これ程までに、
露骨で差別的な仕打ちを受けている都道府県は、他にあるでしょうか⁉
10／9の翁長前知事の県民葬では、追悼の辞や、遺影・ビデオ放映から
在りし日を偲び、会場の至る所から啜り泣きが聞こえました。
ただ、S長官（のちの首相）の挨拶の時だけ、罵声が飛び交っていました。
又もや、A政権は、沖縄県民の人権や尊厳・民主主義を公然と無視し
差別と暴挙を繰り返し始めました……。

2018年：しーぶん179話

辺野古新基地建設反対の署名活動

「We the People」って、ご存知ですか⁉

米国ホワイトハウスのウェブサイトの一部で、
米国政府に対する請願を受付けるシステムのことのようです。
署名が10万人集まるとホワイトハウスから、何らかの返答があるそうです。
「辺野古新基地建設の埋め立て工事を止める請願活動（請願者：県系4世、ハワイ在住）」に賛同し、過日、我々も、恐る恐る検索し、署名をしました。

1／24までに、請願者宛てにホワイトハウスから手紙が届き
「あなたのメッセージを慎重に検討している」と、記されていたようです。
当日までに、著名人を含め、約21万筆の署名が集まったようです。

この署名の前にも、「県民投票の請願活動」に、自筆で署名しました。

「辺野古が唯一！」を
オウム返しするA政権に
『更なる楔！　を、打ち込むために』……。

２０１９年：しーぶん１８４話

県民投票

これまで都道府県単位では沖縄県が唯一、住民投票を実施しています。
しかも、今回（2/24）は、2度目。
結果は、72％強が、辺野古新基地建設反対！　の明確な意思表示をしました。
A首相は、「結果を真摯に受け止める」と言いながら、土砂投入を続行しています。
米国に、新基地建設の進捗を示すためらしい。

米国に媚びへつらい、沖縄県民には、問答無用のあからさまな差別……。
普天間飛行場の危険性除去よりも、辺野古新基地建設を目的化してしまっています。
これは明らかに、
『人権・民主主義の問題！　沖縄県は、軍事植民地ではありません!!』
見て見ぬふりをしている、県外の大半の人々に向かって、声を荒げ続けています。

2019年：しーぶん187話

県立図書館

先日、旭橋に移転した「県立図書館」を、見学してきました。
気持ちの良い環境で、特に、5階の郷土資料エリアが、気に入りました。

知的で静謐な空間は、物静かな我が夫婦にピッタリ!?
必見の価値がある！　と、思いました。
拙著の、「エッセイ集」も、「写真集」も、ひっそりと
存在感を発揮していました……。

特に、「エッセイ集」は、県知事のT・Dさんが2002年に出版された著書と間近に
並んでいました。
そうか！　予てより、『新基地建設NOでも、地脈を通じあっていた！』んだ。

2019年：しーぶん193話

第五章

初出版　エッセイ集と写真集

初出版①　キッカケ

今回の初出版の素材は、親しい知人・友人にメールで送っていた
5年分のしーぶん（おまけ）です。
3年目を過ぎた頃、
数名の方から「本にしてみたら！」とのお話がありました。
直ぐに木に登る癖がありますが
そこは冷静に「5年、100話」を区切りにしようと思いました。

実は、予てから、印税の響きに、ある種憧れを抱いていました。
「通帳に『印税の表示』を見てみたいなあ！　例え100円でも良いから……」と！

ところが、20冊ほど本を出されている恩師に、原稿を持って相談に行ったところ
いとも簡単に、「これは、自費出版ですね！」。

ちなみに、出版社が費用を全額負担して書籍を出版する企画出版・商業出版の場合のみ印税が適用されるらしいですね。

急速に出版意欲を失いかけましたが
本にISBN の文字コード（世界共通の書籍を特定するための番号）が付けば日本書籍出版協会に登録され、一般的な書店で流通でき、かつ国立国会図書館へも納本されるとのこと。

ミーハーの愚生としては、即、出版しよう!!　と、決意しました。

2015年：し－ぶん106話

初出版② 多事・多難

初出版は、本腰を入れてから約8か月かかりました。
主な内容は次の通りです。

原稿準備・完成→出版経験者から
〝いろは〟をご指南→出版社決定・打合せ・校正全般→

ところが、本文・ジャケット・グラビアの校正が終了した途端、
PCが緊急入院してしまいました！
急遽、友人からPCをお借りする羽目に……。

その後、
「帯」のお願い→発送準備（謹呈・挨拶状・宛先シール作り・差出人ゴム印注文……）→本の

完成↓知人・友人への発送↓ラジオ生出演↓お二人に「書評」のお願い↓
シーサー写真展・パネル準備↓
それから、トークショー&サイン会の諸々準備（スライドショー・栞の手作り）↓
いよいよ本番！↓参加者へのお礼状↓特別お世話になった方との慰労会↓
そして今でも……ハガキ大の「出版ご案内」を常備して
現役時代を想い出しながら、『不断の営業活動』が続いています………。

２０１５年：しーぶん１０７話

初出版③　トークショー&サイン会の主役

やっと本が完成（3／13）するや否や、編集者がイベント好きなこともあって
先ず、地元ラジオにJ書店の店長と生出演しました（3／26）。
タイトルのシーサーにちなんで、
トークショー&サイン会はシーサーの日（4／3）に決定。
会を盛り上げるために、その週にシーサーの写真展を開催しました。（3／30〜4／5）。
シーサー写真50点ほどと、会場に贈って頂いた胡蝶蘭や花束・お祝いメッセージで
トークショー&サイン会の舞台は整った感じ。
当日は、サクラとして、三線師匠の照喜名朝一（人間国宝）ご夫妻を始め
50〜60名の方々に、ご参集頂きました。

約1時間のトークショーで、ひときわ目立っていたのは、
主役であるはずの著者や対談相手の編集者でもなく
『手話通訳をしていた相方』だったようです。
動きがあるからかなぁ……。

まさか、チュラカーギー（美人）で!?

2015年：しーぶん108話

初出版④　ベストセラー

トークショー&サイン会は、平日の15：00から行われました。
2日後の日曜日に、同じ会場で芥川賞作家が同様のサイン会を行ったようです。
翌週の週間ベストセラーでは、何故か、芥川賞作家を抑え、愚生が「総合第一位」に！　そろそろ、今年の芥川賞受賞式のスピーチでも
考えておかないといけないかなぁ？

そう言えば、一昨年、映画監督デビューしたけれども、
未だアカデミー賞授賞式の招待状が来てないけど……。

100%来るはずのない便りでも
『便りのないのは、良い知らせ⁉』

2015年：しーぶん109話

二人の共同作業

結婚式でのケーキカット。
夫婦二人の共同作業のスタートでした。

二度目の脳梗塞の後、リハビリのお蔭で杖が取れた頃から
相方と一緒に行動することが増えました。

毎朝、公園でのウォーキング・太極拳や、２週間に一度の合唱。
サイン会のトークショーでは、トークと手話通訳など。

今密かに考えているのは、「マリオネット：カレル」を連れてドサ回り！
相方が操り師、愚生が弁士・声楽担当で、大道芸人の仲間入りをする魂胆。

『芸人[*]となれば、来年の芥川賞の可能性も出てくるし……。』

一石二鳥かぁ……⁉

〈注＊〉その年の芥川賞は、あの「火花」でした。

２０１５年：しーぶん１２０話

写真集①　出版までの準備

今回の「写真集　沖縄シーサーとの出会い」は構想段階から約1年半で、陽の目を見ることができました。

編集者との打合せ第一弾は、1年前。

パワーポイント（プレゼン用ソフト）で写真集の概要を作成し、説明しました。

コメントは、「総花的ですね！」

……「げえ↓」

第二弾は、内容の絞り込みと、インパクトを付け加え、やはりパワーポイントで作成・説明。編集者から「いいんじゃないですか！」。

……「やった↑」

これで終りかと思ったら
「ワードで作り直して下さい！　同時に、シーサー写真のデータも、纏めて下さい！」
『アキサミヨー！（なんてこった↓）』

その後、約3か月を費やし、7回ほどの校正をへて、
やっとの思いで
お披露目！　することができました。

2018年：しーぶん166話

写真集②　トーク&サイン会の準備

編集者から、出来上がった写真集の一部が届けられました。

ホッとする間もなく、「サイン会をやったらどうですか。できれば、シーサーの日（4／3）に合わせて！」と言うことで急遽決定！

サイン会まで、約3週間。今度は、パワーポインを使い笑いを頂けそうな個所をいくつか捻出！　サイン会が近づくにつれ、準備も加速しました。

PCの調子が不安定でしたので、ある方に、バックアップのPCをお願いしました。

（当日ご持参）　体調もピークを越え、3日間ほどショートダウン！

相方に、「万一の場合は、講師を変わって！」と、お願いしたら「何考えているの!?」と、ピシャリ！

まさに、『コウシ混同』していました……。

2018年：しーぶん167話

写真集③　トーク&サイン会のトピックス

サイン会で使おうと、はんこ屋さんに
シーサーのイラストとペンネームを添えた印鑑を特注しました。
また、写真集にキャッチ・コピーが必要かと考え
「シーサー本　一家に一冊　守り神！」とか、「エッセイ風写真集」とか、
あるいは「読む写真集」など、思い付きの駄作を披露しました。
サインにも、ひと工夫しようと、諸準備の空き時間に、５００〜６００回の特訓。
何時まで経っても同じ字体にならず、諦めかけていました。

そんな時に、フト、金子みすゞの詩を想い出しました。
『みんなちがって、みんないい』…………!?
勇気をもらって、サイン会に臨みました！

２０１８年：しーぶん１６８話

写真集④　トーク&サイン会の本番

シーサーの日（4／3）に、ジュンク堂那覇店で開催された「トーク&サイン会」は
今回も、サクラの方々を中心に、ほぼ満開!?　満席（50〜60名）でした。
40分間のトークでは、当方は、出だしの挨拶以外は、座りながらPCで説明。
相方は、立ったまま手話通訳をしました。
そして、サイン会にも、かなりの方々にお並びいただき
何とかPC・体調とも耐えられたのは、「守り神シーサー」のお陰だった……かも。
多くの方々が、口々に、「奥様の手話通訳に、感動しました！目立っていましたね！！」
主役と勘違いしていた我身は、その都度……愛想笑いをしながらも
『凹みっぱなし』でした……。

２０１８年：しーぶん１６９話

写真集⑤　トーク&サイン会の演出

「トーク&サイン会」の開催に当たり、いくつか演出効果を狙ってみました。
先ず、当日の服装には、
相方は、ミンサー織の七分袖のブラウスに、ミニ・シーサーのペンダント。
当方は、かりゆしウェアの上にジャケットを選びました。

挨拶の半ばで、ジャケットを脱ぎ「これが、目に入らぬか！」とばかりに
全面シーサー写真のかりゆしウェアを披露しました。

テーブルの上に置かれた帽子の中には、手作りシーサーを潜ませ
タイミングを見計らって紹介。まさに、シーサー尽くし！

終盤では、『北の桜守』の著書と、『南のシーサー守』の写真集が

書店の店頭に並ぶシーン（沖縄限定）を、紹介しました。
〝同じ空気感を味わう幸せ！〟と、付け加えながら……。
演出効果を狙ったというより
サユリストとして、『私情を挟んだトーク』だった……かも⁉

２０１８年：しーぶん１７０話

写真集⑥　後日談1

サイン会の直前に、溜まった疲れから3日間ほどショートダウンしてしまったことは前述しました。

同年代以上の方には、ウチアタイ（心当たり）することがあるかと思いますが疲れの症状が出るのが、かなり遅くなりましたね！

写真集出版や、サイン会に向けて、身の程知らずに張り切ってしまった結果サイン会が無事終わって2週間ほど経ってから、ギックリ腰発生。

その1週間後に、嘔吐・下痢に襲われ、ビックリしました。

更に2週間程して、上半身に湿疹……。

主治医からは、「何れも、疲れが原因ですよ！」と、診断されました。

『サイン会を見据えていたものの、身体のサインは見落としていました……』

2018年：しーぶん171話

写真集⑦　後日談2

お陰様で写真集、当地では多くの書店で、平置きされています。
友人・知人が、本土や海外から来た方へのお土産としても、利用してくれています。
これまで、ドイツやアメリカの友人夫妻に贈っていました。
ある方の紹介で、販売網が急拡大することに！

豪華客船が那覇港に停留していた時に、オーストラリアのご夫妻の手に渡りました。
さらに、沖縄で大学院を卒業して、ハワイに帰る留学生にも渡りました。
年末には、イギリス人に！　年が明けて、ポーランド人にも！！

これで、3大陸を制覇でき、5大陸制覇も夢ではありません！
どなたか、『南米、アフリカ』に、お知り合いはいませんか!?

2018年：しーぶん172話

第六章　旅のときめき

リハビリの目標　静岡帰省

9年前の、3か月に亘る入院時後半の目標の一つに、「静岡帰省ができること!」を挙げました。

そのためには、ホテルに泊まる訓練が必要なため県内の主なリゾートホテルのバリアフリー状況を、電話で調査したところホテルによって、対策・対応が異なることが分かりました。

県民が安く泊まれる「県内プラン」で対策が取られているホテルを7~8回利用し訓練した結果、退院後1年余りで、杖を突きながらも目標の静岡帰省を達成することができました。

次に、静岡帰省を兼ねた国内旅行を何度か経験し、ついには、海外旅行まで！
すべては、地道な公園リハビリと、相方の温かなサポートのお陰だと思っています。
そのサポートも、昨今の地球温暖化現象と逆行するかのように
『レベルが急降下⁉』。

２０１８年：しーぶん１６３話

久米島

那覇から、フェリーで4時間か、飛行機で30分ほどの距離にある久米島。
4月に、バーデハウス（海洋深層水を活用した温泉施設）と、デジカメによる
シーサー取材を兼ねて、2連泊しました。相方と、そば巡りの先輩の3名で。
3日間、先輩の運転で、シーサーを隈なく探し回り、ついでに、主な名所・旧跡も。
夕方からは、2日間連続してバーデハウスに通い、その日の疲れを癒しました。
その後の夕食は、ホテル近くの久米島郷土料理店へ。
ビールでスタートし、古酒（クース）で特産の車エビ・海ぶどう・地鶏に舌鼓。
サメの刺身や、ヤギの刺身まで堪能しました。
お蔭で、シーサー取材は、113体！　の成果。
2年前の渡名喜島以来、2島目の島内制覇！
『撮っても、撮っても、うれシーサー！！！』

2016年：しーぶん134話

大河ドラマ直虎

この夏、一度目の静岡帰省は、久しぶりに名古屋経由で。
合唱の先生を始め、転勤時代にお世話になった方々と旧交を温めました。

その足で、少し遠回りして天竜浜名湖線の気賀駅で下車しました。
迎えてくれた、相方の親友夫妻のガイドでいざ、「直虎ツアー」へ。

龍潭寺、初代共保公出生の井戸、渭伊神社と天白磐座遺跡、などなど。
大河ドラマのロケ地散策は、2013年の「八重の桜」以来です。

その後のドラマ観賞は、これまで以上に、『親近感と臨場感』が
湧き上がってきました。

2017年：しーぶん156話

清見寺

直虎ツアーの4日後、静岡市清水区にある「清見寺」を訪ねました。
万葉集を初め、兼好法師、西行、芭蕉……近くは、白秋、与謝野晶子など
和歌や俳句に登場する名刹です。
琉球王国時代の1610年、尚寧王と共に江戸に向かう途中
弟の具志頭王子が急逝し、家康によって手厚く葬られた場所です。
その後、「駿河王子」とも呼ばれたようです。
400余年前の歴史に触れながら、お参りができて感無量でした。
ちなみに、1993年の大河ドラマ「琉球の風」での尚寧王役は、あのジュリー。
具志頭王子役は、哀川翔でした。
四半世紀ぶりに、大河ドラマの関連地を訪ねましたが
直虎と異なり、ドラマの記憶は、ほとんど朧気。
消えている時間の長い『走馬燈』のようでした……。

2017年：しーぶん157話

3姉妹のご旅行

相方は、3姉妹の真ん中。

4年ほど前から年に一度、3姉妹揃って旅行をしています。

今年は、昨年還暦を迎えた妹夫婦を祝って
3姉妹に、夫々の連れ合いが御供することになりました。

行き先は、金沢・宇奈月温泉で2泊3日コース。姉が年初から綿密な計画作り。

我々夫婦は、待合せの金沢に3日前に空路で到着し、2組の友人と親睦を図っていました。

ところが、西日本豪雨の影響で北陸本線が運休したため、姉妹夫婦は金沢に来られず
旅行は直前キャンセル！

おまけに、我々も北陸新幹線を利用し、東京経由で静岡帰省する羽目に。

やはり、同行予定の連れ合いは、『招かざる客!?』だったのかも……。

2018年：しーぶん173話

有形文化財

ぽっかり空いた金沢での2日間。
そこで、6年前に探し出せなかった、大学時代の下宿先を探すことにしました。
なかなか見出せず、この辺だろうと見当を付けた辺りで、年配の方に伺い
やっと見つけることができました。
当時も立派な門構えがあり、冬は雪吊りがみられる大きなお屋敷と思っていましたが
何と、国の登録有形文化財に指定されていました。

「この建物は貴重な国民的財産です：文化庁」と、ありました。
歴史的価値に加え、近年、ここから、
『あの作家及び写真家を輩出した！』からかなぁ……？

2018年：しーぶん174話

巡礼の旅と、コウノトリ

5月後半、10日間の「巡礼の旅」と銘打って、四国・大阪・静岡へ出かけました。
旅の目的は、4か所のお墓参りと、2組のお見舞い。
那覇から神戸空港を経由して、高速バスで四国・鳴門に入りました。
身内とのランチの後、レンコン農家に嫁いだ姪っ子夫婦が
コウノトリ（天然記念物）の巣の近くを案内してくれました。
電柱の上の3羽の雛は、元気に羽ばたいていました。
今度は、親鳥を観せようと、レンコン畑の農道を探し回ってくれたお陰で
餌をついばむ姿を、7~8mの至近距離から観察することができました！
その後、コウノトリのお導きか、近くのお寺で参拝しました。
そこは何と、四国霊場八十八箇所一番札所の、霊山寺（りょうぜんじ）！
巡礼の旅は、『箔を付けてスタート』することができました。

2019年：しーぶん191話

世界一周の船旅

昨年11月、35000トンの豪華客船に乗船し
「世界一周の船旅」を、楽しんできました！

実は、一昨年から密かに計画し、100日以上を掛けて
寄港地各国の世界遺産を巡る船旅です。

旅行代金は、お一人様200万~300万円。（特別室は別）
あらためて「地球は、まーるく、広いなぁ！」と感じています。
そのため、このメールは船中から………。

……実は、「乗船見学&説明会」が、
「那覇港バース」で無料開催されていたので参加（11／5）！

船は停泊したままでしたが、寄港地各国の世界遺産（映像）の説明を受け
船内施設をじっくり見学し、船旅の雰囲気を味わいました。

係員から「いつ頃を予定していますか？」の問いに
「あのぉぅ……そのぉぅ……」
「健康面で多少の不安もあるしぃ……」
「3ヵ月余の船旅、狭い船内で我慢できるかなぁ〜？」
などと、ブツブツ言いながら
お茶を濁して退散しました。

帰り道、そば屋に立寄り「軟骨ソーキそば（600円）」を食べながら、
「我が家は、『これ位が丁度いい』よなぁ！」

2015年：しーぷん105話

ヨーロッパ① キッカケ

憧れのヨーロッパ！
25年前に旅行社のツアーに乗り、16日間で7か国を訪問しました。

その時に、特に印象的だったのがドイツ（当時は西ドイツ）とイタリア。
「もう一度ヨーロッパへ行こう！」と、翌年からヨーロッパ積立を開始しました。

資金的な裏付けができたことと
予てより、北ドイツに嫁いだ友人のHさんからお誘いを受けていたこともあって
一年前から、独自のプランを作り始めました。

初出版のピークの頃は、プラン作りも滞りましたが、
2か月に一度のHさんとの定例スカイプも

1ヵ月、2週間、1週間と間隔を狭めてプランの精度を上げてきました。
予定では2週間！
しかも、ホームステイを中心に
プラハ・ドレスデン・ベルリンまで足を延ばす計画！
プラン作りが固まってくると
『本当に行けるかなぁ？』と言う不安も……。

2015年：しーぶん111話

ヨーロッパ②　いきなりトラブル！

出発当日（6／27）は、朝早いため
前日に手堅く、那覇空港行きのタクシーを予約しました。
ところが、予約の時間にタクシーが現れず。
タクシー会社にＴＥＬしたところ、予約の時間を間違えていたようです。
急遽、別のタクシーが手配され、そのタクシー運転手に事情を話すと
お詫びと同時に、無線で受付に文句！（身内にも厳しくていいねぇ）
今度は、そのタクシー、那覇空港に近づくと何を間違えたか、１階の到着ロビーに向かう。間違いに気づき、メーターを倒しから一回りして、３階のチェックイン・ロビーへ！
ここでも、再びお詫び……。

今回の旅行に、『暗雲の兆し⁉』

２０１５年：しーぶん１１２話

ヨーロッパ③　ホームステイ先

右足に補装具を付けているため、体調を崩してはいけないと思い
今回は、ビジネスクラスを奮発！　ホームステイ先に着いた翌朝は
習いたての〝グーテン・モルゲン！〟で、スタート。
ちなみに、Tさん（Hさんの夫：ドイツ人）とHさんは
我々のツアーに合わせて、2週間の休暇届を出してくれていたようです。
その日から、現地3名：ホームステイ先オーナー（Tさんのママ）、Tさん、Hさんの
さり気ないおもてなしを受けました。
〝ズパー！〟

ママのドイツ料理の数々と、食べ方などもご指南いただき
ランチの飲み物はビールが主流でした。
夕刻からは、ドイツワインやシャンパンで談笑……。

ある日は、手作りのケーキで、サプライズのバースデイ（相方）も！

〝グーテン・アペティート&レッカー！〟

また、フォルクスワーゲンの本社工場見学や近隣市場やスーパーの見学。

事前に準備していたタブレット・ショーや、にわかマリオネット・ショー（プラハで購入）など、盛り沢山のイベントが続きました。

特に、Hさんには、通訳及び添乗員・現地ガイドとして献身的なサポートをしてもらい大助かり！　ホームステイのお蔭で、これまでの海外旅行では味わえなかった貴重な体験をすることができました。

〝ダンケ・シェーン！&チュース！〟


〈注〉『覚えたてで、かつ、忘れかけているドイツ語』グーテン・モルゲン：おはよう！　ズパー！：素晴らしい！　グーテン・アペティート：いただきます！　レッカー：美味しい！　ダンケ・シェーン：ありがとう！　チュース！：さようなら

2015年：しーぶん113話

ヨーロッパ④　台風9号

2週間の行程を終え、関空から那覇空港への最後のフライトの日（7／10）でした。

「台風9号の影響で、引き返す可能性が高い」とのアナウンスの中、関空を離陸しました。疲れもたまっているので、ひたすら、無事を祈りました。

那覇空港では、低空飛行で着陸態勢に入ったものの
強風のため急遽、上昇飛行に切り替え！　直後、不安を煽るアナウンスが……。

「やはり、関空へ引き返すか……」と、思っていたところ機長の判断で、
反対側から再度着陸を試み、大成功！

機内では、機長を称えて拍手が鳴りやみませんでした。

前後のいくつかの便は、引き返したか、欠航したようです。

最初と最後は、冷や冷やだった今回のツアー。

「終わり良ければ、全てよし！」に則った、『最も記憶に残る旅行』になりました。

２０１５年：しーぶん１１４話

ヨーロッパ⑤　総括

行きの軽めのトラブルや、プラハ城で危うく迷子（迷爺）になりそうだったこと
沖縄で鍛えているはずなのに、ドレスデン・ベルリンでは、何と日焼け（37度）！

帰国してから、時差ボケが長いと思っていたら、
相方から「ジーサボケ!?　だ」と言われたりしましたが、
それらを除けば、パーフェクトに近い今回のツアー。
（静岡のある地域では、お年寄りのことをジーサと言います。）

国際線の飛行機を始め、今回使用した現地での交通機関は
送迎の自家用車（アウトバーン走行）、新幹線、在来線、観光バス、地下鉄、
トラム（路面電車）、クルーズ船、タクシー……など、盛り沢山でした。
そうそう、一日平均15000歩のテクシーも！

一年前からの構想作りと、スカイプによる詳細計画のやり取り、ドイツ語の勉強、
滞在費の国際送金……等、入念な準備をしました。
加えて、現地ファミリーの2週間に亘る、献身的かつ、さり気ないサポートのお蔭で
大成功&大満足！

こうして、今年前半は、20年あるいは、30年に一度あるかないかのイベントを
2つも消化することができました。(もう一つは、初出版)。
資金が底を尽いたこともあり
後半は、カスミを食べて、夏眠・秋眠・冬眠と、寝て暮らして行くつもり。
『餓死に、気を付けながら……』

2015年：しーぶん115話

ヨーロッパの余韻① マリオネット

相方が、前々から欲しい欲しいと言っていたマリオネット。
プラハのカレル橋の下でお店を探し出し、少し奮発して購入しました。
早速、ホームステイ先で海外初デビュー！ その時、マリオネットの名前を聞かれ
咄嗟に、「カレル」と命名しました！
国内では、先日お招きいただいたお祝いの会で、本格初デビューし
もっぱら、相方が操り師で、愚生が弁士・声楽担当。
3～4分間の短いショーですが、評判も上々⁉ でした。

そのお披露目ショーで、カレルを操っている相方の背中を見ながら
『永年、こうして操られていたんだなぁー！』と
考え深げな自分に、気が付きました……。

2015年：しーぶん116話

ヨーロッパの余韻②　アンペルマン

アンペルマンは旧・東ドイツ時代にベルリンで誕生し
現在でもベルリンを中心に活躍している「歩行者用信号機」。
今回は計画作りの段階から、「実物」を見てみたいと言う思いがありました。
プラハに3泊した後、新幹線を利用し、2泊の予定でドレスデンへ移動。
ドレスデン中央駅から、地図を見ながらホテルに向かって歩き出しました。
するとイキナリ、最初の信号機でアンペルマンとご対面！
感激の余り、横断歩道で写真を撮り捲り、立ち往生。
クラクションで、我に返りました。

帰国後、アンペルマンの話を誇らしげに友人に語り始めると
『アンパンマンの親戚なの!?』だって………。

〈注〉アンペルマンのプロフィール（ネットから）
生年月日：1961年10月13日ベルリン生まれ
体重：ちょっと太め
職業：交通整理
性格：チャーミング、真面目
好きな食べ物：電気

2015年：しーぶん117話

ハワイ懐かしみツアー①　これまで

赤い糸に導かれ、知合ったのが１９７７年。
新婚旅行は、当時ブームだった
憧れのハワイ（オアフ島とカウアイ島）へ行きました（１９７８年）。
10年後は、勤務先から夫婦単位のご褒美で
マウイ島（１９８７年）と、翌年、カウアイ島（１９８８年）へ。
20年後は、勤続25周年でハワイ島とオアフ島（１９９８年）へ。
30年後は、人間国宝に随行して三線のハワイ公演でオアフ島（２００７年）へ。
何故か相方も、観客の一人として同行しました……。
そして、今回のハワイ懐かしみツアーは、ハワイ島とオアフ島へ、約２週間。
『あれから40年！』でした。

２０１７年：しーぶん１５１話

ハワイ懐かしみツアー②　驚き

5/8（月）、沖縄から成田経由で「ホノルル国際空港」へ。

いや、「ダニエル・K・イノウエ国際空港」へ向かいました。

そう、日系人初の連邦上院議員の故ダニエル・イノウエ氏にちなみ
「ダニエル・K・イノウエ国際空港」に改名（2017年5月2日）された直後でした。

10年ぶりの空港、名前以外は変わってないことに安堵しました。

ところが入国審査で、いきなり、指紋を取られました。しかも、2か所で。

続いて、デジカメで顔写真、これも、2か所で。

何だか、犯人扱いのようで、良い気持ちはしませんでした……。

入国審査を終え気分を取り直し、「さあ、フルムーンだ！」と気勢を上げると
相方は、冷静に、「フリムン*じゃないの？」だって。


〈注*〉「フリムン」は、ウチナーグチで、「愚か者、馬鹿者」の意味。

2017年：しーぶん152話

ハワイ懐かしみツアー③　感動

バスで巡る2度目のハワイ島一日観光は、前回とは逆に、時計と反対周りでした。
立ち寄った黒砂海岸では、アオウミガメが目の前に上陸！　で、ビックリ。
甲羅干しがお目当てのようです。
キラウエア火山では、ペレ*の歓迎なのか、お怒りなのか
昼間にも拘らず、噴火口から荒々しい火柱が！　ガイドも、驚いていました。
大自然の営みに感動！
旅の後半は、三線で知り合ったオアフ島在住の友人ご夫妻に、ご自宅訪問を含め
丸2日間お付合いして頂きました。
ここでは、大自然の営みに負けないくらいの
『おもてなしに大感動！』しました。

〈注*〉ペレ：キラウエア火山に棲む、火の女神
２０１７年：しーぶん１５３話

ハワイ懐かしみツアー④　体調管理

旅行の前は、旅番組やガイドブックで予習と計画づくり。
海外旅行の場合、並行して大事なのは体調管理です。
出発の3週間程前に、相方は、気になっていたピロリ菌駆除の投薬を開始しました。
1週間経った頃から体調が今一の相方を横目に
「大丈夫かぁ!?」と　いぶかしがっていた愚生。
直後、久しぶりのギックリ腰発生!　しかも、中程度!
切り返すように、「行けるの!?」と、相方。
それぞれ、それなりに回復し無事、出発・帰国することができました。

ただ、帰国一週間後に出てきた疲れには
『あれから40年!』を、しみじみと感じました。

2017年：し―ぶん154話

2度目の中国

ビジネスマンを卒業してから、2度目の中国です。

一度目は、太極拳の研修で上海・北京・長春へ。

今回は、ある旅行社のモニターツアーで、10月に上海・蘇州・無錫へ行ってきました。

3泊4日全食事つき、しかも、全て、ハイアット・リージェンシー泊。

お値段は、何と、39800円！

後先考えずに、申し込みました。

上海までの空路は、2時間弱で快適でしたが、その後の4日間のバス移動は強硬そのもの。特に、観光地巡りでは、補装具を着けて必死で歩きましたが、

『徒歩（トホ）のスピードに、ホトホトついて行けません』でした……。

2018年：しーぶん176話

第七章　美ら島色に染められて

仕次　2015

昨年から、正月の年中行事の一つとして、「仕次（しつぎ）の儀式」を始めました。
今年は、1／4に行うことで、その準備に入りました。
厳かな雰囲気の下、1年寝かせておいた古酒（くーす）の入った3升甕に向かい
「まろやかになっていますように！」とお祈りをし、いざ、開封……。
ところが、蓋が言うことを聞いてくれず、汗をかきかき、相方と力を合わせてもダメ。
両手の指先も痛みました。
当日は日曜だったため、翌日、酒造メーカーに窮状を訴えました。
「甕を逆さにして蓋を濡らす!?」と言うアドバイスに
疑心暗鬼ながら従ったところ、見事、開封！
『あた蓋』しながらも、幕の内中に、「仕次の儀式」を終えることができました。
奥が深いなぁ……。

2015年：しーぶん102話

琉球の星

昨年10月、名古屋と刈谷で開催されたコンサートに
プロデューサー兼指揮者からご招待戴き、帰省を兼ねて楽しませてもらいました。

特に刈谷では、「輝くソプラノの星コンサート」のタイトルの如く
愛知県・沖縄県から代表1名ずつが、バトル状態で歌声を披露するとのこと。
そこで、アウェイで不利な〝琉球の星Iさん〟を応援するため
急遽、「美ら島私設応援団（2名）」を編成しました。
当日は、プレゼンテーターを買って出て
舞台上で花束と琉球菓子を贈呈し、Iさんを励ますことができました！
今年も、『愛燦々』と輝くIさんに、惜しみないエールを贈るつもり！

２０１５年：しーぶん１０４話

トーカチ祝い

沖縄に移住する前に、親の賀寿で、還暦祝いを始め、喜寿、米寿、卒寿等の企画・開催をしたことがありました。

沖縄での主な生年祝いには、13歳、61歳、73歳、88歳、97歳があり今回初めて、「トーカチ祝い」に招待されました。
旧暦の8月8日に行われる88歳（米寿）のお祝いで、今年は、9月20日の日曜日。

「トーカチ」という言葉は、お祝いに招待した親戚や友人に
「竹でできた斗かき」を配ったことからきているそうです。
「あやかりの儀式」も体験させていただき
こぢんまりと気品あるお祝いの会でした。

翌日、「自分も『トーカチ』を迎えられるかなあ？」
と、相方に尋ねたら
『トンカチ（金ずち）頭を柔らかくしないと、ね！』
と、言ったとか、言わなかったとか……？

２０１５年：しーぶん１１９話

手渡しお布施

昨年は、10月の最終週から毎週〝ゆんたく仲間〟を含め、ご来客がありました。
その方々とは別に、クリスマスの5日ほど前から、延べ8名のサンタクロースから
直接プレゼントをいただきました。
クリスマス直後から年末にかけも、公園や玄関先で6件!
2週間弱で、14件も! 何れも、自家製野菜や果物・海産物が中心。
これらを、我家では、「手渡しお布施」と、呼んでいます。
「冷蔵庫に入りきれないわぁ……。」と、托鉢の身としては
『勿体ないお言葉』も聞かれました……。

2016年:しーぶん123話

コンサート 合唱

この夏、「美ら海アルス・ノーヴァ音楽祭」が開催され
3年ぶりに、パレット市民劇場の舞台に立ちました（7／16）。

沖縄と名古屋を代表するソリスト6名づつが、オペラ・アリアを中心に美声を披露。
その合間に、我々「沖縄 銀の鈴合唱団」が、お耳汚しの3曲！
♪芭蕉布♪、♪小さな木の実♪、♪小さな四季♪

このところ、コンサートも有料のため、集客も大変です。
チラシとチケットを持ちながら、開催一か月前から、相方と営業活動開始！
お陰で、コンサート前日までに約20名のご協力を得ることができました。
朝の体操や、太極拳のお仲間、知人・友人……など。

特筆すべきは、あの月光仮面ご夫妻や主治医ご夫妻まで、足を運んでくれたことです。
当日は、舞台以外、ほぼ、裏方（9：30〜16：30）に専念していました。
御礼の気持ちを込めて、あらためて、『合掌』!?

2016年：しーぶん136話

サガリバナ

サガリバナは、熱帯や亜熱帯の花で
夏の夜にたった一夜だけ咲き、夜明けとともに散ってしまいます。
甘い香りを漂わせ、花びらは色鮮やかで、まるで夜空に咲く花火のよう！
10年ほど前に公園で実（種）を拾い、ベランダの植木鉢に埋めてみました。
しばらくして、芽が出て3～4年前から1m位に伸び、緑を楽しんでいました。
そのサガリバナ、何と、開花しました！　我家では、「今夏の奇跡」と呼んでいます。
苦節10年！　その模様を、お世話になっている恩師（那覇在住）に
写真を添付したハガキでお知らし、早速、お礼状を頂きました。
2週間程して、その恩師から「我家の鉢でも、サガリバナが咲きました！」と
写真付きでご報告を頂きました。苗からとは言え、苦節21年とか！
『上には上』が、居ますねぇ……。

2016年：しーぶん137話

第6回世界のウチナーンチュ大会

世界のウチナーンチュ大会は、世界各国に住む県系人（約40万人）が5年に1度
母県である「オキナワ」に集い、
自らのルーツやアイデンティティーを確認するという
他県には類を見ない一大イベントです。
ちなみに今年は、海外28か国から7200名余が沖縄に集結しました。

5年前には開会式に参加して、大感動！
今回も、14000名の開会式に参加しました（10／27）。
加えて、閉会式の「うまんちゅ三線大演奏会（監修：照喜名朝一）」にも
師匠（人間国宝）が監修と言うこともあり、思い切って申し込みました！
演目は、工五*かぎやで風節 四工 安波節 四乙 てぃんさぐぬ花 四

道場に通っていた頃に学びましたが、お休みしているため
申込み後の1ヶ月間は、曲目を覚醒すべく、自主練で明け暮れました……。

当日（10／30）の那覇セルラー・スタジアムのスタンドは
2000名程の三線奏者が勢ぞろい！
お陰で、『三振せずに、ヒットする（弾く）こと』ができました⁉
世界ウチナーンチュ大会への、熱き思いを込めて……。

〈注＊〉工工四（くんくんしー）：三線の楽譜（記譜法）のこと。

2016年：しーぶん140話

文化功労者

昨年11月、「沖縄県文化功労者」に1団体、15個人が表彰されました。

その団体とは、何と、照喜名朝一先生（人間国宝）率いる
「琉球古典安富祖流音楽研究朝一会」！

と言うことは、道場通いを休止しているとはいえ
愚生も、文化功労者の端くれ⁉

ゆくゆくは、文化勲章か……。
先々出版を目論んでいる2冊目で、芥川賞とダブル受賞といきたいですね⁉
『初夢は大きく……？』

２０１７年：しーぶん１４５話

浜下り

「はまうり」と読み、旧暦3月3日に行われる女の節句（今年は新暦で3月30日）のことです。

この日は、ご馳走を用意して浜に集まり、海に入ったり、潮干狩りを楽しむようです。身を清める、禊の儀式でもあるようです。

相方にも楽しんでもらおうと、予め、ビーチに面したホテルを予約。

ビーチに着くと、幼い女の子から昔のお嬢様達で賑わっていました。

早速、お手製のおにぎりや三月菓子（サングヮチグヮーシ）[*]をいただいた後
砂浜を歩いたり、海に入ったり、天然温泉につかりました。

ビーチの近くにある鮨屋のカウンターで、古酒でカリーサビラ（乾杯）！

いにしえの乙女も、『浜下りフルコース』で、ご満悦⁉


〈注＊〉「サングヮチグヮーシ」 旧暦3月3日の女の節句のときに作るお菓子で、サーターアンダーギーと同じ材料ですが、四角く仕上げる点が異なる縁起物のお菓子。

２０１７年：しーぶん１４７話

食の歳時記

我家の食の歳時記は、結婚以来、概ね、次の通りです。
1月は、初水・お屠蘇（古酒）・おせち料理・雑煮（正月）、
　七草粥（七草）、ぜんざい（鏡開き）、小豆粥（小正月）。
2月は、豆まき・恵方巻*（節分）。
3月は、蛤の潮汁・ちらし寿司（桃の節句）、ぼた餅（春分の日）。
5月は、柏餅*（端午の節句）。
7月は、ウナギ*（土用の丑）。
8月は、お供え物（お盆）。
9月は、おはぎ（秋分の日）、お団子（中秋の名月）。
12月は、カボチャ料理（冬至）、年越しそば（大晦日）……などなど。

これらに、

月桃の葉で包んだお餅[*]（旧暦12／8：ムーチー）、
三月菓子[*]（旧暦3／3：浜下り）。
ウンケー・ジューシーと、ミニお重[*]（旧暦7／15：旧盆）、
トゥンジー・ジューシー（冬至）などの
沖縄特有の歳時記の一部も加わり
かなりの豪華版です！

歳時記を学び、行事を重んじるというより、
夫婦揃って
『ガチマヤー（食いしん坊）』だから⁉

〈注＊〉は、戴きものか、購入したもの。
2018年：しーぶん161話

りっかりっか・フェスタ

「りっかりっか・フェスタ」とは、「国際児童・青少年演劇フェスティバルおきなわ」のことです。毎年沖縄で一週間だけ開催され、15年目を迎えました。
リッカリッカとは、ウチナーグチで「さあ！さあ！」と、行動を促す時に発する言葉です。
海外からも多くのアーティストや劇団を招聘し
数年前から会場も、目の前の新都心公園周辺で開催されています。
お手頃な料金で観ることができるため
夏休みに入った直後の、親子連れや学童が目立ちました。
20以上ある演目の中から、今年は、チェコの「人形劇」、ロシアの「ハンドメイド」、スペインの「きりん」、そして最終日は、「風間杜夫の一人芝居：ピース」を選びました。
シーブン（おまけ）で、上映中の映画「沖縄スパイ戦史」も加わり7月最終週は
我家にとっても、正に、『りっかりっか：芸術ウィーク！』でした。

２０１８年：しーぶん１７５話

エキストラ

昨年11月、甥っ子の結婚式が静岡で行われました。
夫婦で招待されましたが、伯父さん・伯母さんは、末席の、言ってみればエキストラ！
エキストラと言えば、10数年前、映画のエキストラに採用されました。
タイトルは井上真央ちゃん主演の「チェケラッチョ」。
沖縄を舞台にした映画で、当時、カルチャーでカチャーシーを習っていたので
お声が掛かりました。
結婚式のシーンでは、相方は、松重豊や柳沢慎吾と同じメインテーブル。
愚生は、端っこのテーブル。
15時間ほど拘束されましたが、Tシャツと弁当が出演料でした。
後日、DVDを買ってチェックしたところ、カチャーシーのシーンのみの
『数秒だけの記念すべき映画出演』でした!?

2019年：しーぶん181話？

花火

17年前に入居した頃は、北側のベランダから
東シナ海の水平線が一直線に見え、那覇空港や、慶良間諸島も見えました。
その後、マンションなどが建ち並び、新都心らしい風情になって来ましたが
我家からの眺望は、水平線が半分以下になるなど、低下の一途……。
ただ、毎年、5月の連休に行われる「那覇ハーリー」の夜のイベントの
打上げ花火だけは、視界全快となります。
北側の勉強部屋は、急遽、特設の桟敷席となり、3日間、花火三昧！！
風が強かったりすると、ビルにかかってしまい、視界が悪くなります。
そう言えば、『自身の視界も、随分、狭くなってきたなぁ……反省三昧。』

2019年：しーぶん190話

ターチマチュー

沖縄では、「ターチマチューは、ウーマクー」だと言われています。
ウチナーグチで、「ターチ」は、2つ、「マチュー」は、つむじのこと。
「ウーマクー」は、わんぱくのこと。
つまり、「つむじを2つ持っている者は、わんぱくである」という意味です。
実は、愚生も、ターチマチューでした。
普通は、後頭部につむじが2つ並んでいますが、愚生は、前と後のつむじ。
思春期には、気になっていましたが……。
今では、2つとも消滅し、面影がありません。
『額と頭の境を、見失ったまま』です……。

2019年:しーぶん194話

高齢者の仲間入り

7月に高齢者の仲間入りする相方に内緒で、3月の時点で
温泉付きの県内宿泊プランを予約。その折、その日は誕生日であることを告げました。
当日、ホテル側の配慮で、最上階のスイートルームにグレードアップ！
予約時の新聞のチラシでは、スイートは倍以上の料金であったため心配になり
フロントに確認するほど……。

夕食時には、蝋燭の明かりとメッセージ付きで
スペシャル・デザートが運ばれて来ました。相方は、相次ぐサプライズに、ご満悦！
思い起こせば、宿泊プランのチラシの謳い文句は、
「いつまでも健康で！」と言う意味の、『チャーガンジュー割！』。
願いを込めて……予約した甲斐がありました。

2019年：しーぶん195話

首里城火災

カーテンを開けた瞬間、燃え盛る炎と巨大な火柱に絶句しました。
鳥肌が立ち、身体の震えや冷や汗まで……。
10／31（木）の午前4時前、「首里城に火災発生！」の消防無線で、跳び起きました。
我家から首里城正殿の一部を見ることができ
毎日、仰ぎ観ることが習慣になっていただけに
悪夢のような光景に、大きな喪失感を味わいました。
首里城は、４５０年余り続いた琉球王国の歴史・文化の象徴であると共に
沖縄県民の誇りであり、宝物であり、心の支えでした。
心にぽっかり空いた穴。
一日でも早く、再建されることを願い、『できることをやろう！』と
相方と誓い合いました。支援の輪を拡げながら……。

２０１９年：しーぶん１９６話

あとがき

我家から眺めることができた首里城を時々、デジカメに収めるなど
首里城は極めて身近な存在でした。
火災を目撃した時の、大きな喪失感が和らぎ始めた頃
首里城は、如何に、県民の誇りであり、宝物であり、
大きな存在であったかを改めて実感しました。

火災から4か月経った2020年2月末、相方と共に首里城を見学しました。
正殿を中心に、惨状を目に焼き付けておこうと思い直したからです。
いつものように守礼門から歓会門、瑞泉門、漏刻門をくぐり、奉神門の手前を右に回り、正殿
を向かって右方向から眺めました。
あったのは瓦礫のみで
2本の大龍柱も黒焦げでした……。

訪れた方々も皆さん無言で、すすり泣きも聞かれました。
そんな中、目の前の生垣に咲いていた真っ赤なハイビスカスが、語りかけてくれました。
『挫けないで！　再建に向けて力を貸して!!』と……。

これまで、那覇市立壺屋焼物博物館や県立博物館（実習室）、那覇市役所ロビー、ジュンク堂那覇店などで、シーサー写真展を開催してきました。
２０１８年には「写真集　沖縄シーサーとの出会い」を出版しましたが
ライフワークの一つであるシーサー写真蒐集は、コロナ禍の中、止む無く自粛しています。

沖縄に住まわせてもらってから四半世紀。　脳梗塞再発から、12年が経ちますが
あらためて、治療・リハビリにとって沖縄は最適な地である、と感じています。
入院直前から終始見守りを続けてくれ、杖歩行の頃は、正に、二人三脚をしてくれた相方。「日常生活の全てがリハビリ！」をモットーに、
これからも、早朝90分の公園リハビリを中心に
連れ添いながら暮らして行ければ、と願っています。

今回も、貴重なアドバイスをいただいた編集者の新城和博さん。ブツブツ言いつつも
心強いサポーターの相方・芳子さん。そのお陰で、陽の目を見ることができました。

「しーぶん」も、密かに300話を目指して、綴り続けたいと目論んでいます。
「高貴好例者？」の仲間入り、
あわよくば、昇天願望時期の80歳まで
脳梗塞の後遺症と、明るくお付合いして行くことができれば、
望外の幸せです。
　ご一読に深謝！

2021年春　松下　武

この本の売上は、「美ら島たけシーサー基金*」に充当させていただきます。

＊「基金」は、首里城復興支援を始め、自然災害や人災（基地･原発被害）
　などに気持ち最優先で、微小な支援をさせていただくことを
　目的としています。

著者略歴

1949年　静岡県生れ。金沢大学法文学部法律学科卒業。
1973年　日本アイ・ビー・エム入社。
1977年　１度目の沖縄赴任（約６年）。その後、大阪、東京、名古屋、東京勤務を経て、2002年２度目の沖縄赴任・移住。
2005年　日本アイ・ビー・エム卒業。
同年　美ら島たけシーサー庵（ありんくりん）代表。
2008年　那覇市立壺屋焼物博物館にて「漆喰シーサーありんくりん写真展」開催を始め、沖縄県立博物館実習室、那覇市役所ロビー、ジュンク堂那覇店等にて「シーサー写真展」を開催。

著書に『シーサーと脳梗塞　美ら島で妻と歩む』（ボーダーインク）
『写真集 沖縄シーサーとの出会い』（ボーダーインク）がある。

首里城シーサーと
脳梗塞リハビリ
美ら島を妻と歩む

２０２１年４月３日　第１刷発行

著　者　松下　武
発行者　池宮　紀子
発行所　(有)ボーダーインク
沖縄県那覇市与儀２２６-３
tel ０９８-８３５-２７７７
fax ０９８-８３５-２８４０
http://www.borderink.com
印刷所　でいご印刷

ISBN978-4-89982-404-6　C0095